독도의
생물다양성 I

육상식물, 곤충, 조류

독도의 생물다양성 🄸
(육상식물, 곤충, 조류)

발 행 일 | 2021년 6월
저   자 | 황의욱(경북대학교)
세 밀 화 | 김윤경

펴 낸 곳 | 애드팍
주   소 | 대구광역시 남구 봉덕로 5길 42-2, 5층
전   화 | 053)744-4457
이 메 일 | adpark744@naver.com

책값은 뒤표지에 있습니다.

ISBN 979-11-974645-1-5
ISBN 979-11-974645-0-8(세트)

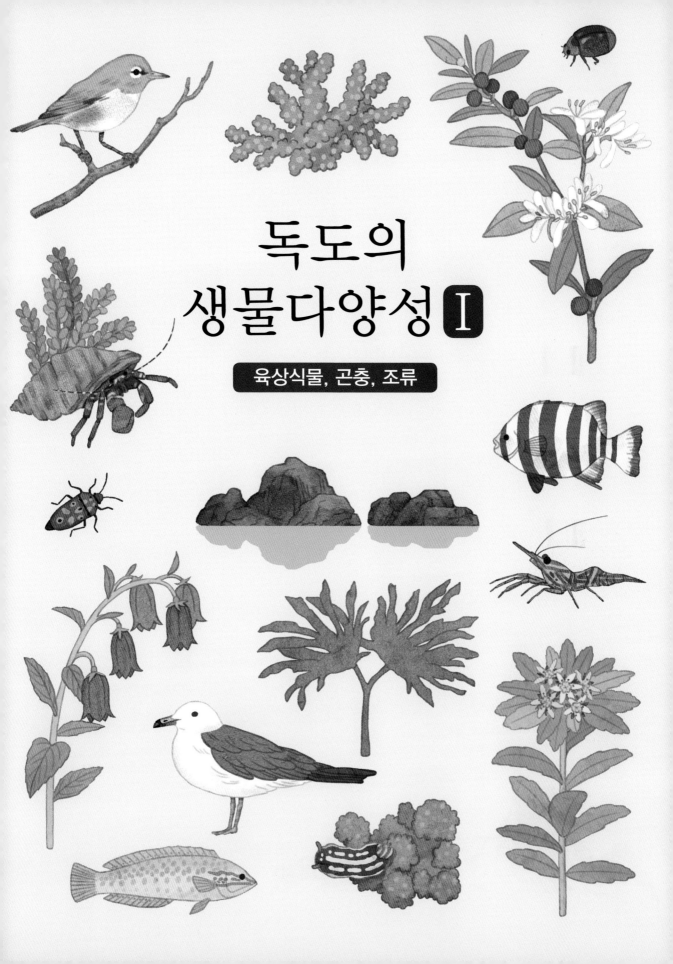

독도의
생물다양성 I

육상식물, 곤충, 조류

서문

최근 G7 정상 회의를 마치고, 문재인 대통령이 스페인을 국빈 방문했다. 스페인 국왕이 대통령께 직접 보여준 유럽의 고지도에는 독도와 대마도가 선조들이 물려주신 우리의 땅임을 보여주는 명백한 증거가 오롯이 새겨져 있었다. 가슴 벅찬 순간이었다. 일본은 1905년 러일전쟁을 위한 병참기지로 사용하기 위해 우리 땅, 독도를 무단으로 침탈했다. 독도에 망루를 세워 일본은 러일전쟁에서 승리할 수 있었다. 독도의 침탈은, 세계사에서 그 유래를 찾아 볼 수 없을 만큼 참혹했던 한반도 일제식민지화의 서막이었다. 1945년 해방되면서, 우리는 한반도와 그 부속 도서인 본래의 우리 땅을 수복하게 되었다. 이는 역사적 사실이다. 그럼에도 불구하고 2020 도쿄 올림픽을 맞아 일본이 올림픽 지도에 독도를 자국의 영토로 표기해 우리 국민의 공분을 사고 있다. 일본의 독도 영유권 주장은 우리에게 일제 식민지의 잔혹했던 기억을 되살리고, 독립 국가로서의 우리의 존엄을 심각히 훼손하는 일이다.

그동안 독도를 지키기 위한 정부와 민간단체의 노력은 눈물겹게 이어져 왔다. 아쉬운 점은 그러한 노력이 주로 정치적, 외교적, 사료적 관점에만 치중되어 왔다는 것이다. 독도의 실효적 지배력을 높이기 위해서는, 보다 다양한 양태의 노력이 필요하다. '독도 Dokdo'라는 이름과 함께 독도의 생물들을 발굴하여 세계에 널리 알리는 일도 독도 수호에 크게 일조할 수 있음은 자명한 일이다. 그동안 독도 생물상에 대

한 연구가 환경부, 문화재청, 경상북도의 지원으로 이루어져 왔으나, 독도 서식 생물 종들을 체계적으로 목록화하고 집대성하는 작업은 이루어진 바 없다. 환경부 산하 국립생물자원관은 지난 5년(2014~2019년)간 "독도 생물주권 확립을 위한 종합 인벤토리 구축사업"을 진행한 바 있다. 필자는 지난 20 여 년 동안 독도에 서식하는 생물에 대한 다양한 연구를 수행해 왔으며, 2017년부터 3년간 이 사업의 총괄책임을 맡아 연구를 수행했다. 해당 연구 성과의 일부를 정리하여 일반 대중들이 손쉽게 독도의 생물들을 찾아 볼 수 있도록『독도의 생물다양성 I, II』를 출간하게 되었다. 일반 독자들의 이해를 돕기 위해 가급적 전문적인 용어나 서술 방식은 사용하지 않았으며, 독도와 독도 인근 해역에서 흔히 관찰되는 300종의 독도 생물을 엄선하여 수록하였다. I권에서는 식물 50종, 곤충 50종, 조류 50종을 포함해 총 150종을 삽화와 함께 정리하여 제시하였고, II권에서는 해양에 서식하는 해조류 23종, 어류 19종, 무척추동물 108종을 포함하여 총 150종의 사진 자료와 함께 주요 특징을 정리하여 수록하였다. I권의 삽화 제작을 위해 김윤경 작가가 수고해 주었고, II권의 사진은 ㈜인더씨의 김사흥 박사가 제공해 주었다. 국립생물자원관의 재정적 지원과 출판에 대한 양해가 없었다면, 이 책이 대중들에게 공개되기는 어려웠다. 이 자리를 빌려 진심으로 감사를 드린다. 독도 생물종 인벤토리 구축사업에 참여한 모든 연구원들과 더불어, 원고 작성과 책 출판을 위해 세세한 도움을 준 경북대학교 동물분자계통학연구실의 최은화 연구교수와 신초롱 연구원에게 특별한 감사의 마음을 전한다.

독도에 살고 있는 대표 생물들을 수록한『독도의 생물다양성 I, II』의 출간이, 때가 되면 어김없이 찾아오는 일본의 독도 영유권 주장 각설이 타령을 영원히 사라지게 하는, 작은 불꽃 하나가 되기를 소망한다.

2021. 6.

황 의 욱

CONTENTS

PART 1

독도의
육상식물

도깨비고비

Cyrtomium falcatum (L. f.) C. Presl var. *falcatum*, 1836

한반도 서남부, 제주도, 울릉도의 해안가 숲 가장자리에 자라는 상록 양치식물이다. 뿌리줄기는 짧고 굵다. 잎은 혁질이며 우편(깃조각)은 위를 향하면서 낫처럼 굽는다. 관상으로 사용된다.

댕댕이덩굴

Cocculus trilobus (Thunb.) DC., 1818

전국의 산기슭 양지에 자라는 덩굴성 낙엽목본이다. 길이는 3m에 이르고 줄기에 털이 있다. 줄기가 어릴 때는 녹색이지만 오래되면 회색으로 된다. 어린 식물체는 나물로 먹으며, 줄기는 탄성이 좋아 바구니 등의 세공용으로 사용한다.

번행초

Tetragonia tetragonoides (Pall.) Kuntze, 1891

번행초과 식물의 다년생 초본으로 주로 바닷가 모래땅에서 자란다. 우리나라 남부지방, 울릉도, 독도에 분포하고 있다. 꽃은 4월~11월 사이에 피며 꽃잎은 없고 화관의 겉은 녹색이고 안쪽은 노란색이다. 식용으로 사용하거나 전초를 암, 장염, 패혈증 등의 치료에 약재로 사용된다.

가는갯능쟁이

Atriplex gmelinii C. A. Mey. ex Bong., 1833

명아주과 식물로 우리나라 중부이남 바닷가에서 자라는 염생식물로 일년생 초본이다. 가지는 다육성이며, 연한 잎과 줄기는 가축의 먹이로 이용하며 항히스타민제의 조성물로 사용되기도 한다.

흰명아주

Chenopodium album L. var. *album*, 1753

명아주과의 일년초로 전국 각지에
분포한다. 6~10월에 꽃이피며
어린순을 식용으로 사용한다.

쇠무릎

Achyranthes japonica (Miq.) Nakai, 1920

비름과 식물로 다년생 초본이다. 꽃은
8~9월에 녹색으로 피며 전국의 들과 산에
흔하게 분포하고 있다. 뿌리는 약용으로
사용되며 어린순은 식용으로 사용된다.

쇠비름

Portulaca oleracea L., 1753

쇠비름과 식물로 전국 산기슭, 밭, 길가에 흔하게 자라는 일년생 초본이다.
5~8월에 노란색의 꽃이 핀다. 전 세계 온대 및 열대지역에 분포하며
해열제, 해독제, 항생제 등 약용으로 사용된다.

술패랭이꽃

Dianthus longicalyx Miq., 1861

석죽과 식물로 다년생 초본이다.
전국 산지에서 분포하고 있으며
7~8월에 연한 붉은 색의 꽃이 핀다.
꽃잎은 기부까지 깊게 갈라져있다.
관상식물로서 가치가 높고 전초는
약용으로 사용한다.

큰개미자리

Sagina maxima A. Gray f. *maxima*, 1859

석죽과 식물로 바닷가나 들의 양지에서 자라는 일년초이다.
우리나라 전역에 분포하고 있으며 5~8월에 흰색 꽃이 핀다.

별꽃

Stellaria media (L.) Vill., 1789

석죽과 식물로 이년생 초본이다. 전국에 흔하게 자라며 전세계에
광범위하게 분포하고 있다. 3~11월에 흰색 꽃이 핀다. 어린순은
식용으로 사용되며, 약용으로 사용된다.

왕호장근

Fallopia sachalinensis (F. Schmidt)
Ronse Decr., 1988

마디풀과 식물로 다년생 목본이며
울릉도, 독도 식재에 분포하고 있다.
7~10월에 흰색 꽃을 피운다. 어린
줄기는 식용으로 사용되며 근경은
약용으로 사용한다.

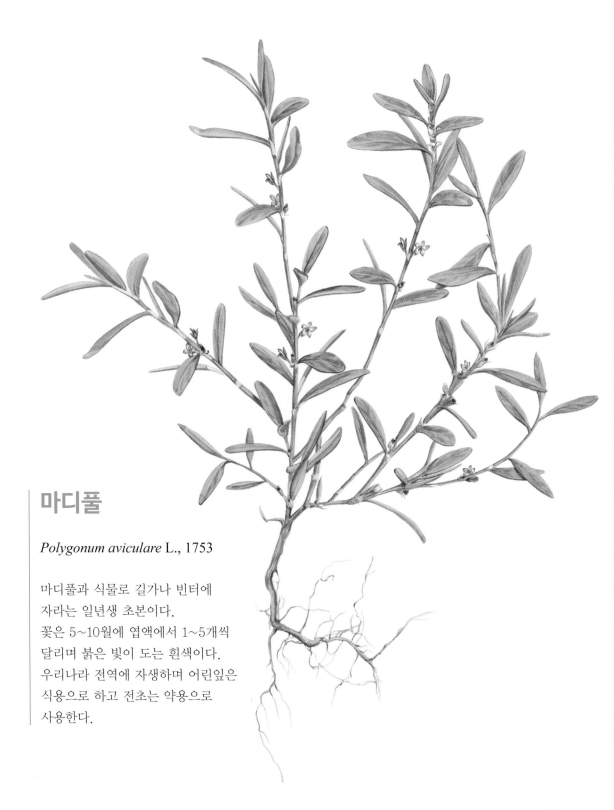

마디풀

Polygonum aviculare L., 1753

마디풀과 식물로 길가나 빈터에
자라는 일년생 초본이다.
꽃은 5~10월에 엽액에서 1~5개씩
달리며 붉은 빛이 도는 흰색이다.
우리나라 전역에 자생하며 어린잎은
식용으로 하고 전초는 약용으로
사용한다.

참소리쟁이

Rumex japonicus Houtt., 1777

마디풀과 식물. 들과 길가에
자라는 다년초이다.
6~7월에 연한 녹색 꽃이
많이 열린다. 뿌리는 약재로
사용되며, 어린순과 줄기는
식용으로 사용된다.

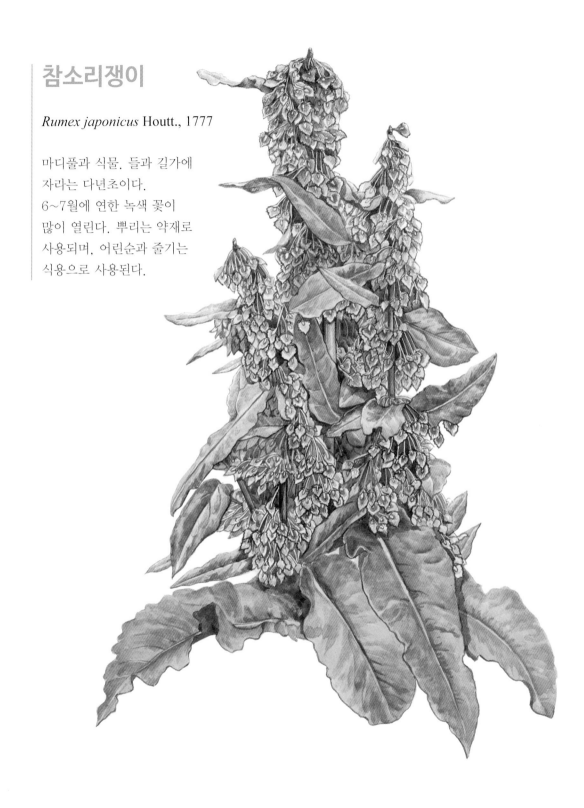

동백나무

Camellia japonica L. f. *japonica*, 1753

해안가 산지에 자라는 상록성 교목으로,
꽃은 2~4월에 적색으로 피고 약용으로
사용하며 종자에서 기름을 얻는다.
국외반출 승인대상 생물자원 지정식물로
원예품종으로 가치가 우수하다.

갯괴불주머니

Corydalis platycarpa (Maxim.
ex Palib.) Makino, 1909

울릉도와 제주도의 바닷가에
자라는 이년생 초본으로서
전체가 흰빛이 도는 녹색이다.
꽃은 노란색으로 4~5월에 핀다.
독성이 있어 먹으면 호흡곤란,
심장마비 등이 일어나며 뿌리는
진통이나 타박상에 약용으로
사용한다.

갯장대

Arabis stelleri DC., 1821

십자화과 식물로 울릉도와 동해안 남부지방의 바닷가 모래땅과
바위틈에 자라는 이년생 초본이다. 꽃은 흰색으로 핀다. 어린순은
식용하며 관상용으로 이용할 수 있다.

갓

Brassica juncea (L.) Czern., 1859

오래전부터 식용으로 재배하고 있으며,
일부는 야생화 되기도 하였다. 어린순은
식용으로 사용되며, 감기, 강심, 거담,
기관지염, 이뇨, 폐렴 등에 약으로
쓰인다.

갯까치수염

Lysimachia mauritiana Lam., 1792

앵초과 식물로 울릉도, 제주도를 비롯하여
서남해안 지역에서 자라는 이년생 초본이다.
꽃은 7~8월에 흰색으로 핀다.
어린순은 식용으로 사용하며,
관상용으로도 이용하고 잎을
구충제로 사용하기도 한다.

땅채송화

Sedum oryzifolium Makino, 1891

돌나물과 식물로 중부 이남의 바닷가 바위
위에 자라는 다년생 초본이다.
꽃은 5~6월에 피며, 노란색으로
꽃받침잎은 다육질이다. 다육성 식물로
관상식물로의 개발 가능성이 높다.

섬기린초

Sedum takesimense Nakai, 1919

돌나물과 식물로 다년생 초본이다. 우리나라
고유종으로 독도와 울릉도에만 자생한다. 6~8월에
노란색 꽃이 핀다. 관상가치가 높고 약용으로
사용된다. 제한적인 분포특성으로 이용가치가 높다.

보리밥나무

Elaeagnus macrophylla Thunb., 1783

보리수나무과 상록 활엽 덩굴성 목본으로 8~10월에 꽃이 피며
열매는 이듬해 2~3월에 성숙한다. 바닷가 산지에 자라며 우리나라
중부 이남으로 분포한다. 해안 녹화용으로 사용되며 열매는 식용이
가능하다.

사철나무

Euonymus japonicus Thunb. var. *japonicus*, 1780

노박덩굴과의 상록 활엽관목으로 강원도 이남에
바닷가 산기슭에 분포하고 있으며
전국적으로 식재종으로 사용된다.
6~7월에 녹색 꽃이 핀다.
주로 정원수, 방풍림의 목적으로 식재되며
근피와 열매는 약용으로 사용된다.
독도 동도 정상부의 사철나무 군락은
천연기념물 제538호로 지정되어 있다.

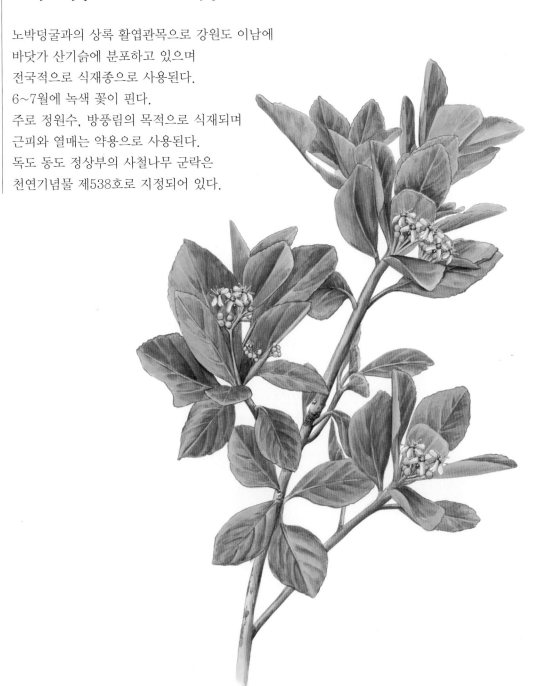

개머루

Ampelopsis brevipedunculata (Maxim.) Trautv.
f. *brevipedunculata*, 1883

전국에서 분포하는 낙엽 활엽 덩굴성 식물로서 추위에 강하고
양지와 음지를 가리지 않아 바닷가나 도심지에서도 생장이
양호하다. 조경용이나 관상용으로 식재한다. 경엽은 뿌리와
함께 약용한다.

선괭이밥

Oxalis stricta L., 1753

전국의 밭이나 길가에 자라는 여러해살이풀로
세계적으로는 아시아, 유럽, 북아메리카 등 북반구
전반에 걸쳐 흔히 볼 수 있는 잡초이다. 어린잎을
식용하며 전초는 약용한다.

갯사상자

Cnidium japonicum Miq., 1867

경상북도, 경상남도, 전라남도, 제주도의 바닷가에 서식하는 산형과의
이년생 초본이다. 8월에 흰 꽃이 피며 과실을 사상자라 하여 간질,
관절염, 대하, 부인병 등에 쓴다.

박주가리

Metaplexis japonica (Thunb.) Makino, 1903

전국의 산기슭에 흔하게 자라는 덩굴성 다년생 초본으로 자르면 흰 즙이 나온다. 표주박처럼 생긴 열매가 특징이며, 성숙하면 열매가 터져 털이 빽빽이 달려있는 씨가 나온다. 종자의 털은 솜 대용으로 쓰거나 인주를 만드는 데 쓰고 줄기와 뿌리는 약으로 쓴다.

까마중

Solanum nigrum L. var. *nigrum*, 1753

밭이나 길가에서 흔히 자라는
일년생 초본이다. 꽃은 5~11월에
백색이고, 열매는 장과로 흑색이며
완전히 익으면 단맛이 있어 식용하지만
독성이 약간 있다. 어린순은 식용한다.

초종용

Orobanche coerulescens Stephan, 1800

열당과 식물로 우리나라 바닷가 모래땅에
자라는 일년생 또는 이년생 기생식물이다.
주로 사철쑥의 뿌리에 기생한다. 5~6월에
자주색의 꽃이 핀다. 한 때 멸종위기 야생식물로
지정되었으나 현재 멸종위기종에서 해제되고
국가적색목록의 관심대상(LC)으로 등급이
조정되었다. 약초로 사용된다.

질경이

Plantago asiatica L. var. *asiatica*, 1753

산과 들 양지바른 곳이나 길가에 자라는 다년생
식물이다. 꽃은 5월 ~ 8월에 피며 흰색이다.
우리나라 전역에 분포한다. 어린잎은 식용하며,
종자는 약재로 사용된다.

섬괴불나무

Lonicera insularis Nakai, 1917

인동과의 낙엽성 활엽관목으로 울릉도와 독도 식재에
분포하고 있는 우리나라 고유종이다. 5~6월에 흰색
꽃이 핀다. 관상용으로 사용되며 제한적인 분포로
유전자원으로서의 가치가 높다.

섬초롱꽃

Campanula takesimana Nakai, 1919

초롱꽃과 식물로 우리나라 고유종이며 울릉도와
독도에만 분포하고 있다. 꽃은 6~8월에 피며
관상용으로 많이 사용된다. 어린순을 식용으로
사용되기도 한다.

갯제비쑥

Artemisia japonica Thunb. subsp.
littoricola (Kitam.) Kitam., 1957

울릉도와 독도에 분포하며, 국외로는 일본,
러시아 사할린 등지의 바닷가에 자라는
국화과의 다년생 초본이다. 전체에 털이 거의
없고 잎은 손바닥 모양 또는 깃털 모양으로
깊게 갈라진다. 어린순은 식용한다.

산쑥

Artemisia montana (Nakai) Pamp., 1930

국화과 식물로 다년생 초본이다.
주로 산기슭이나 길가에 자라며 8~10월에 꽃이
핀다. 울릉도와 독도에 제한적으로 생육하고
있다. 성숙한 잎은 뜸쑥용으로 사용되며
어린순은 식용으로 사용된다.

해국

Aster spathulifolius Maxim., 1871

국화과 식물로 다년초이다. 우리나라와 일본에서만 분포한다. 주로
해안가의 암벽에서 자라며 일반 토양에서도 잘 자란다. 7~11월에 연한
자주색의 꽃이 핀다. 일반적으로 관상용으로 사용된다.

방가지똥

Sonchus oleraceus L., 1753

유럽 원산의 귀화식물로 강가나
길가, 빈터에 자라는 국화과의
다년생 초본이다. 줄기는 높이
30~100 cm로 곧게 자라며 속이
비어있다. 전국적으로 분포하고
있으며 가축의 먹이로 사용한다.

털민들레(민들레)

Taraxacum mongolicum Hand-Mazz., 1907

국화과 식물로 다년생이다. 우리나라 전역 숲 가장자리, 들판, 풀밭 등에
분포한다. 꽃은 5월 ~ 7월에 핀다. 총포(모인꽃싸개)에는 거미줄 같은 흰
털이 있다. 가축사료로 사용한다.

닭의장풀

Commelina communis L., 1753

길가에 흔히 자라는 일년생 초본이다.
전국에 분포한다. 7~8월에 하늘색
꽃이 핀다. 어린순을 식용하고 전초를
압척초라하여 약용한다.

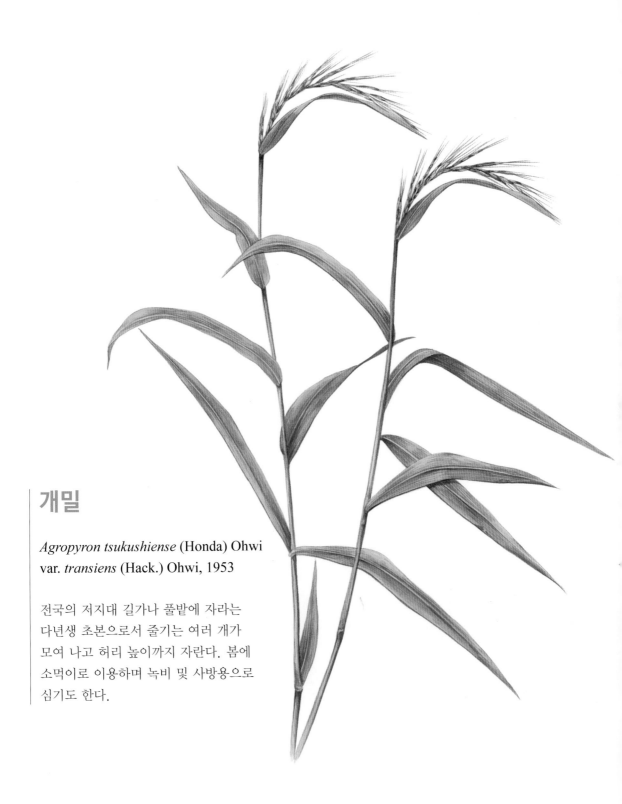

개밀

Agropyron tsukushiense (Honda) Ohwi
var. *transiens* (Hack.) Ohwi, 1953

전국의 저지대 길가나 풀밭에 자라는
다년생 초본으로서 줄기는 여러 개가
모여 나고 허리 높이까지 자란다. 봄에
소먹이로 이용하며 녹비 및 사방용으로
심기도 한다.

큰이삭풀

Bromus unioloides Kunth, 1815

벼과 식물로 전국에 분포한다.
남아메리카 원산의 귀화식물로
일년생 또는 이년생이다.

바랭이

Digitaria sanguinalis
(L.) Scop., 1771

전국의 길가와 경작지에 자라는
한해살이풀이다. 줄기는 아래에서
가지가 많이 갈라지고 비스듬히
선다. 꽃은 여름에 피며 작은 이삭이
난형 또는 장타원형이어서 바랭이와
구별된다.

돌피

Echinochloa crusgalli (L.) P.,
Beauv. crusgalli, 1812

제주를 제외한 전국의 경작지나
저수지 주변 등 습한 곳에서 자라는
일년생 식물이다. 꽃은 여름부터
가을까지 핀다. 씨앗은 강장제,
지혈제로 사용된다.

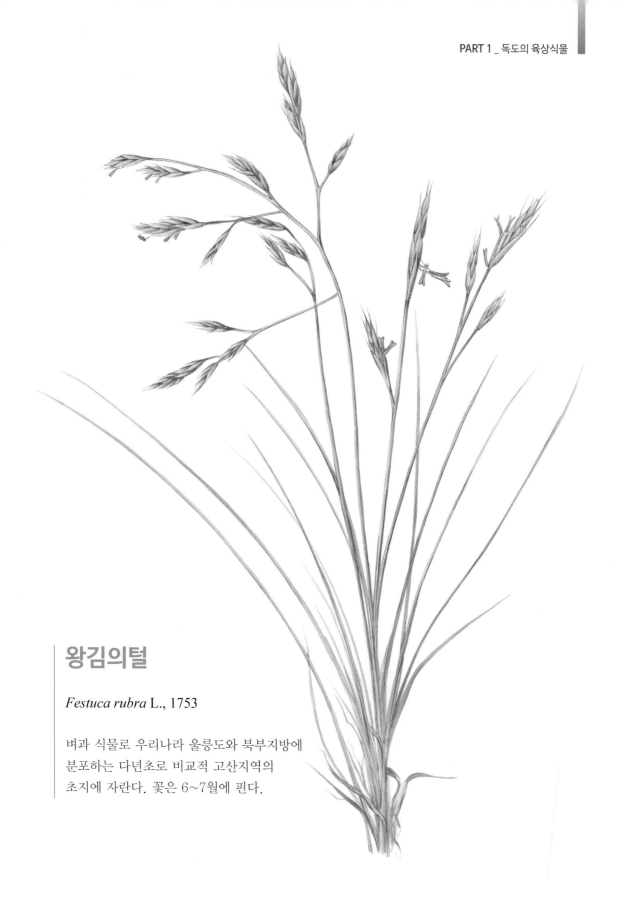

왕김의털

Festuca rubra L., 1753

벼과 식물로 우리나라 울릉도와 북부지방에
분포하는 다년초로 비교적 고산지역의
초지에 자란다. 꽃은 6~7월에 핀다.

금강아지풀

Setaria glauca (L.) P. Beauv., 1812

경작지 주변이나 들판에 흔하게 자라는
일년생 식물이다. 꽃은 8월 ~ 10월 피며,
가시털이 금빛을 띠는 것이 특징이다.

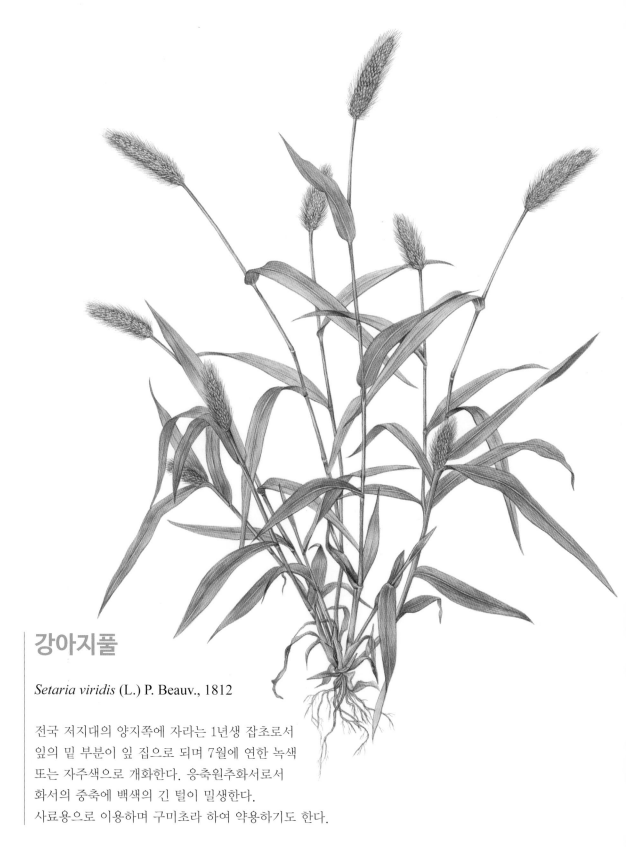

강아지풀

Setaria viridis (L.) P. Beauv., 1812

전국 저지대의 양지쪽에 자라는 1년생 잡초로서
잎의 밑 부분이 잎 집으로 되며 7월에 연한 녹색
또는 자주색으로 개화한다. 응축원추화서로서
화서의 중축에 백색의 긴 털이 밀생한다.
사료용으로 이용하며 구미초라 하여 약용하기도 한다.

갯강아지풀

Setaria viridis (L.) P. Beauv. var.
pachystachys (Franch. & Sav.)
Makino & Nemoto, 1925

해안지역에 자라는 일년생 식물로
우리나라 전역에 분포한다.
강아지풀보다 가지가 많이 갈라지며
이삭자루에 붙은 가시털이 긴 것이
특징이다.

산달래

Allium macrostemon Bunge, 1833

백합과 다년생 식물로 저지대 풀밭,
숲 가장자리 또는 산기슭에 자란다.
전국에 분포하고 있다. 꽃은 흰색
또는 연한 분홍색으로 5월 ~ 6월에
피며 둥근 산형꽃차례로 핀다. 전초를
식용 및 약용한다.

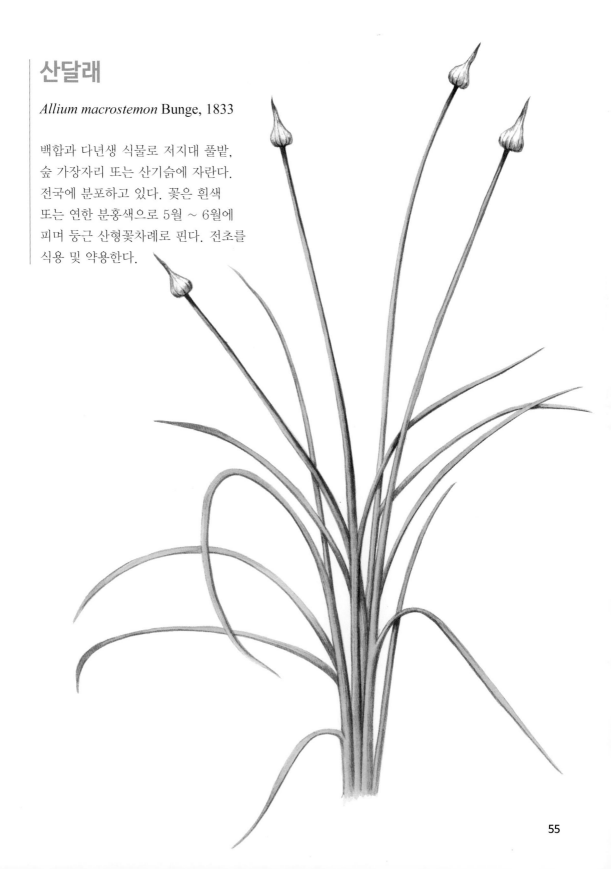

비짜루

Asparagus schoberioides Kunth, 1850

백합과 식물로 전국의 산과 들에서 자라는 다년생 초본이다. 5~6월에
연한 녹색 꽃이 핀다. 어린 순을 식용으로 사용한다.

참나리

Lilium lancifolium Thunb., 1794

백합과 식물로 전국 산야에서 흔히
자란다. 7~8월에 황적색 바탕에
흑자색의 반점이 산재되어 있는 꽃을
피운다. 국외반출 승인대상 생물자원
지정 식물로 원예종으로 많이 사용되며
염료, 식용, 및 약용으로 많이 사용된다.

큰두루미꽃

Maianthemum dilatatum (A.W.Wood)
A. Nelson & J. F. Macbr., 1916

백합과 식물로 주로 고산지대에서
자라는 다년생 식물이다.
우리나라에서는 울릉도, 독도, 그리고
북부 지방 이북의 높은 산에 분포한다.
관상용으로 주로 사용한다.

가는명아주

Chenopodium album L. var. stenophyllum Makino, 1913

바닷가에 흔히 나는 명아주과의 일년생 초본으로 우리나라를 비롯해 중국 동부 및 일본에 분포한다. 잎이 피침형 이고 가장자리가 밋밋한 특징을 가지고 있어 명아주속의 다른 종들과 뚜렷이 구분된다. 금색과 녹색 염료의 연료로 사용되기도 한다.

PART 2

독도의
곤충

된장잠자리

Pantala flavescens (Fabricius, 1798)

가슴 속에 공기를 보관하는 기관이 넓어 장시간 비행에 유리한 체형을 하고 있으며 해양을 건너 이동할 정도로 이동성이 강하다. 서식환경이 까다롭지 않아 하천이나 연못, 웅덩이 등 대부분의 장소에 서식한다.

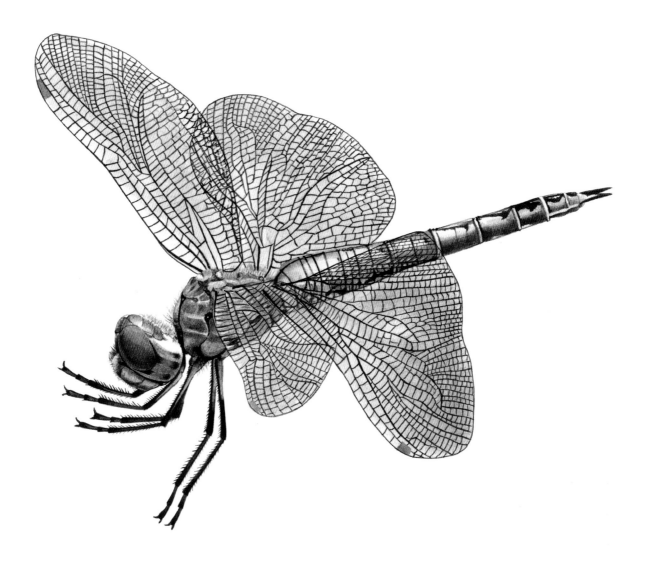

알락날개쐐기노린재

Prostemma hilgendorffi Stein, 1878

체색은 검은색, 앞날개 부분에 주홍색과 노란색, 흰색 등 무늬가 있다.
전체에 긴 센털이 나 있고 머리는 검은색이며 앞쪽으로 튀어나와 있다.
앞다리 퇴절은 굵게 부풀고 안쪽에 빗살 모양 가시가 있다.

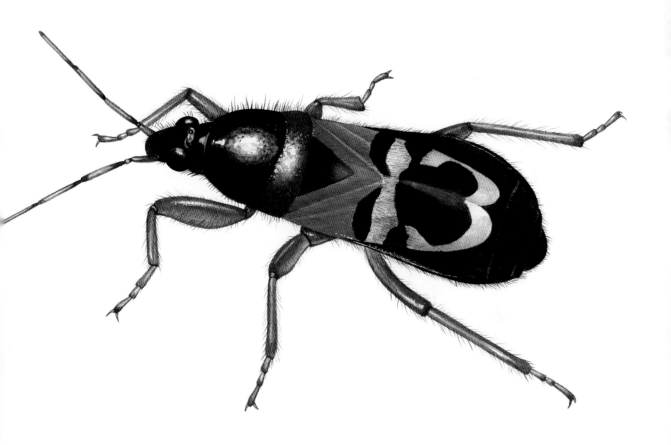

애꽃노린재

Orius sauteri (Poppius, 1909)

몸길이 1.8~2.1 mm의 소형 크기이다. 체색은 검은색이며 강한
광택이 있다. 각종 응애류, 진딧물류, 매미충류 등의 유충을 포식하며,
총채벌레의 주요 천적으로 총채벌레를 방제하기 위해 이용되는 대표적인
천적곤충이다.

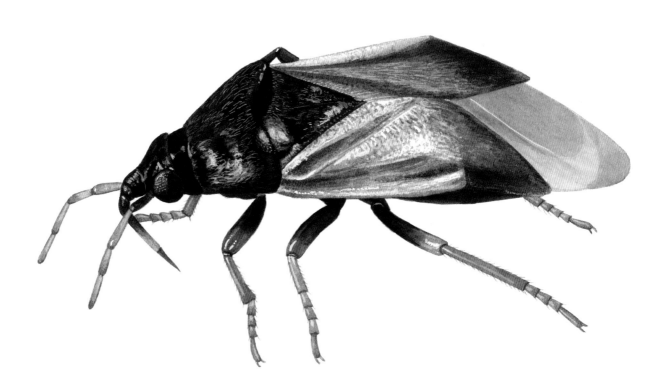

독도장님노린재

Campylomma lividicorne Reuter, 1912

등면은 연한 녹색 또는 노란색을 띤다. 구기는 가운뎃다리 기절에 이른다. 더듬이 제 1마디 복면에는 검은 점이 있으며, 제 2마디는 연한 색이나, 기부는 어두운 색을 띤다. 국화류, 쑥류를 섭식한다.

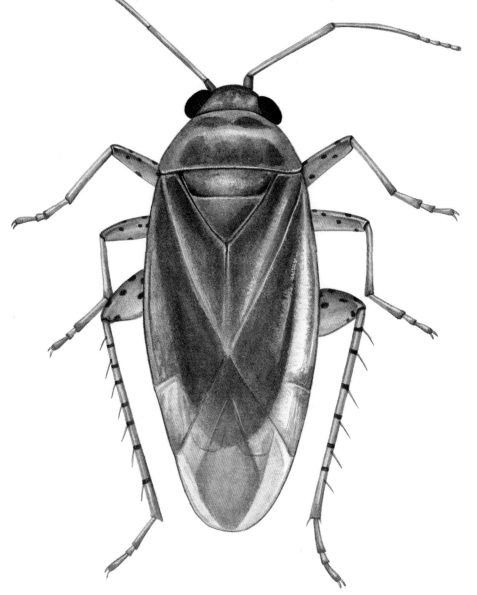

명아주장님노린재

Orthotylus flavosparsus (Sahlberg, 1841)

체색은 녹색이며, 몸 전체에 노란색 점이 불규칙하게 산재되어 있다. 주로 명아주과 식물을 섭식하며, 외국에서는 사탕무를 가해하는 종으로도 알려져 있다.

애긴노린재

Nysius plebejus Distant, 1883

바탕은 누런빛이 도는 갈색, 또는 회색빛이 도는 노란색이며, 불규칙한
점각이 있다. 날개에는 짧고 짙은 갈색 무늬가 있다.

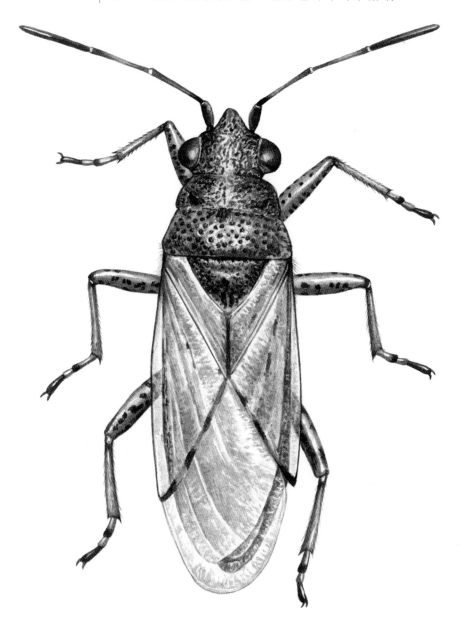

꼬마긴노린재

Stigmatonotum rufipes (Motschulsky, 1886)

머리, 앞가슴등판, 작은방패판은 짙은 갈색이며 황갈색 털이 조밀하게
나있다. 앞날개 혁질부는 옅은 갈색과 진한 갈색부분이 혼재한다.
앞다리 퇴절은 부풀어 있고 안쪽에 가시가 있다.

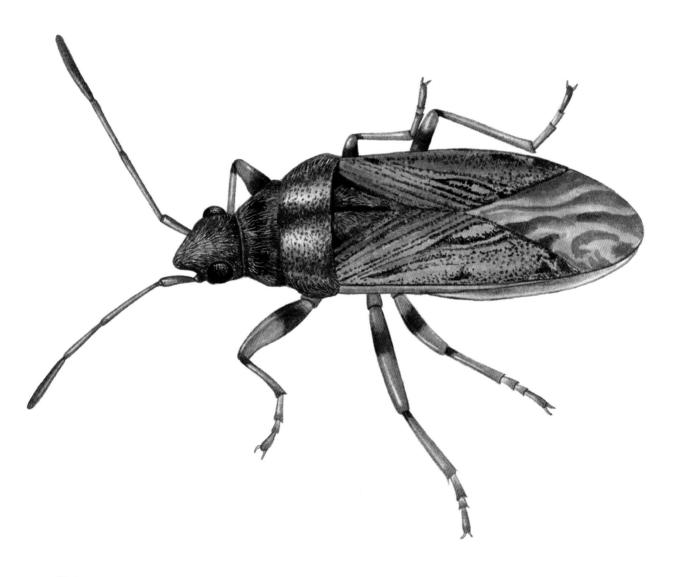

방패광대노린재

Cantao ocellatus (Thunberg, 1784)

몸빛깔이 매우 화려하고 개체마다 검은색 반점의 변이가 심하다. 체색은 노란색 또는 주황색으로 검은색 반점 주위는 연한색으로 둘러싸여 있다. 성충은 예덕나무의 수액을 흡즙하며, 주로 7월~9월에 활동한다.

풀색노린재

Nezara antennata Scott, 1874

체색은 선명한 녹색이며, 녹색형, 노란색 무늬형, 갈색형 등의 변이가 있다. 잡식성이며 주요 기주식물은 대부분의 콩과 식물, 가지, 토마토 등의 재배식물이다. 성충과 약충이 식물의 즙액을 흡즙하면 잎이 위로 말리고 줄기가 굳어져 펴지지 않게 된다.

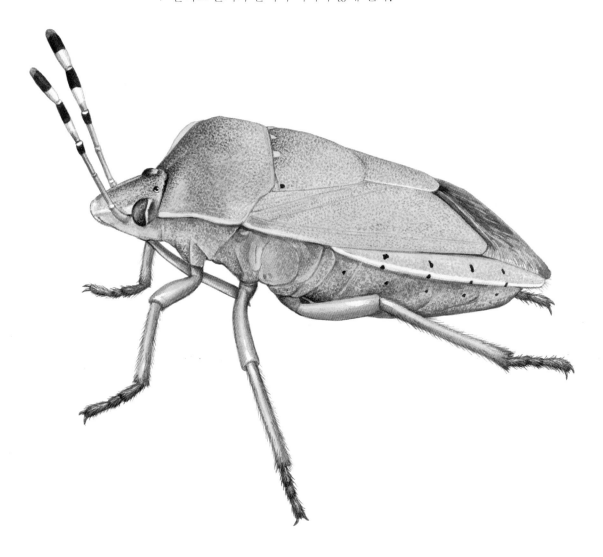

모무늬매미충

Hishimonus sellatus (Uhler, 1896)

날개는 회색백, 날개맥은 연한 황갈색이며 전체적으로 미세한
얼룩무늬가 있다. 벼, 보리, 밀 등의 작물에도 기생하지만 특히 뽕나무,
환삼덩굴에 기생한다. 농업해충으로 흑조왜축병을 매개하기도 한다.
수액을 흡즙하며, 병든 나무의 수액을 통해 미코플라스마 유사미생물의
병원균을 옮겨 건강한 나무에 전이시키는 성질이 있다.

황록매미충

Laburrus impictifrons Boheman, 1852

등면이 황색 또는 황록색이고, 머리는 황록색이며 머리 옆 가장자리에
갈색 줄무늬가 약간 나타난다. 앞가슴등판은 중앙 부분에 지붕 모양의
경계선을 가지며 뒤편에는 무색의 점각과 미세한 가로주름이 있다.

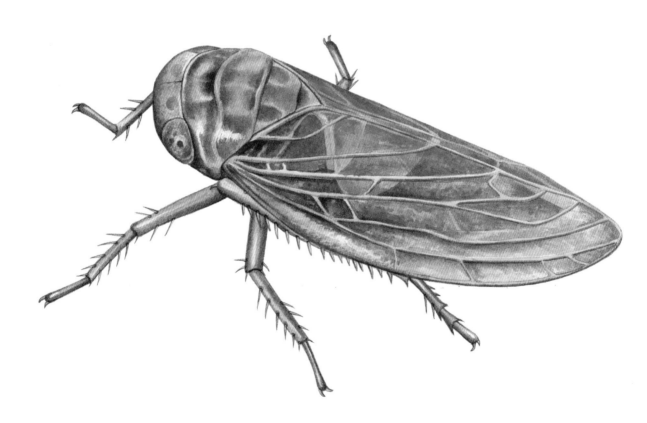

애멸구

Laodelphax striatellus Fallen, 1826

몸은 담황색 바탕에 검은 반점이 있다. 벼, 보리, 밀, 옥수수, 조, 수수, 바랭이, 뚝새풀, 포아풀, 줄풀 등 화본과 식물에 기생한다. 수액 흡즙에 의한 피해는 크지 않으나, 벼줄무늬잎마름병, 벼검은줄오갈병 등의 매개충이다.

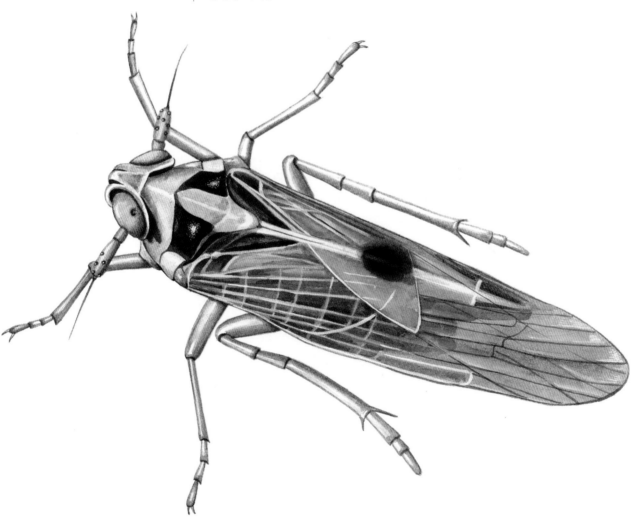

운계멸구

Unkanodes sapporonus (Matsumura, 1935)

등면은 담황갈색 또는 등황색으로, 정수리, 앞가슴등판 및 소 순판에 걸쳐 중앙에 백색의 넓은 세로줄 무늬가 특징적이다. 앞가슴등판의 정중선 융기는 현저하며 3줄의 융기선이 있고 양쪽 융기선은 뒤쪽으로 벌어지나 뒷가장자리에 달하지 않는다. 벼의 검은줄오갈병을 매개하는 매개충이다.

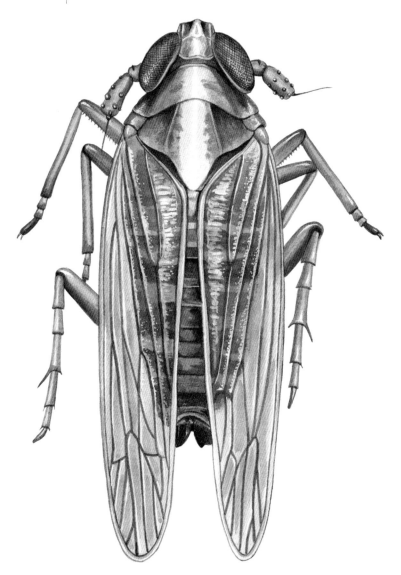

명아주나무이

Heterotrioza chenopodii (Reuter, 1876)

체색은 연한 노란색. 날개는 투명하며 무늬를 갖지 않으나 시맥을 따라
진한 색을 띤다. 주로 명아주류를 섭식한다.

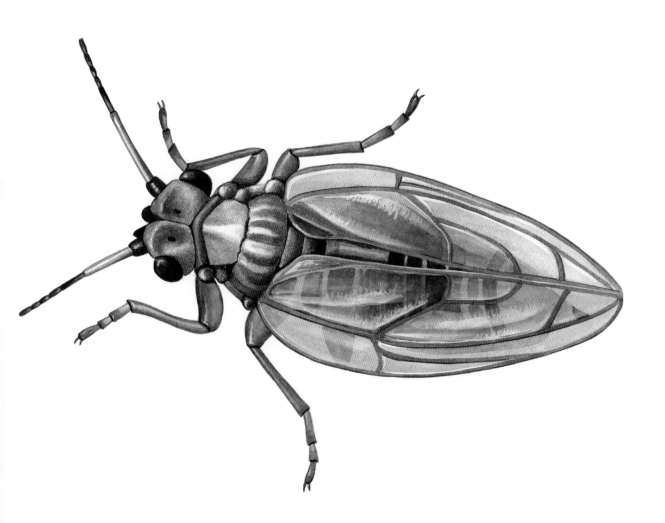

칠성풀잠자리(칠성풀잠자리붙이)

Chrysopa pallens Rambur, 1836

머리와 가슴은 노란빛이 감도는 연두색이다. 더듬이는 매우 길게
발달되어 있으며, 날개는 연두색으로 날개맥이 복잡하게 발달되어 있고
날개 끝은 다소 뾰족하다. 배와 다리는 연두색이다. 유충과 성충이
진딧물을 포식하는 천적곤충이다.

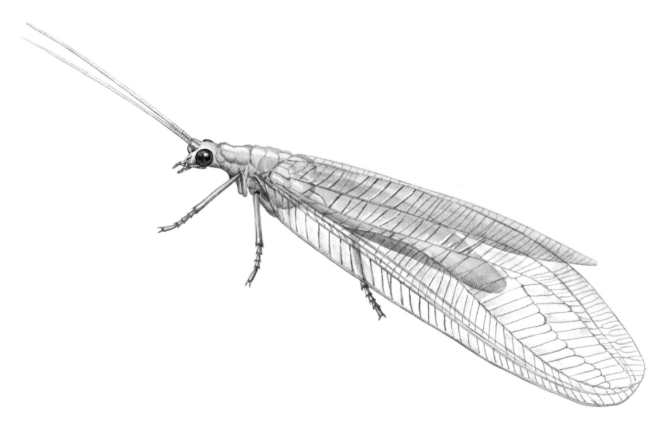

섬땅방아벌레

Agrypnus miyamotoi (Nakane & Kishii, 1955)

체색은 갈색 또는 흑갈색을 띤다. 각 딱지날개에는 명료한 점각렬이 있으며, 그 간실에 작은 점각이 밀포되어 있다. 딱지날개는 회색 또는 회황색의 가루로 덮여 있다. 사구성 곤충이다.

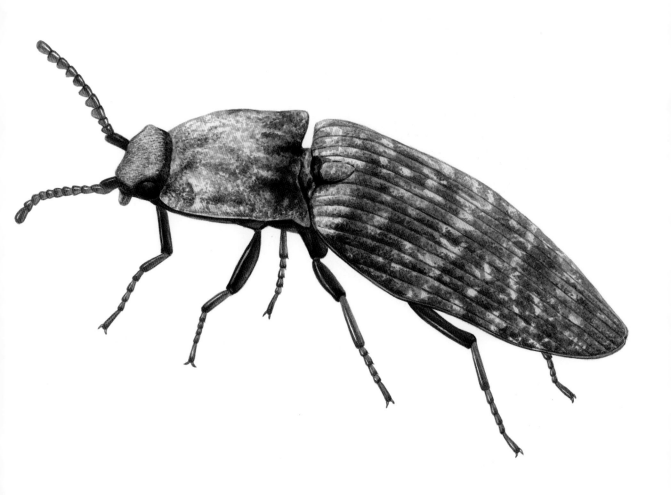

붉은다리빗살방아벌레

Melanotus (*Spheniscosomus*) *cete cete* Candeze, 1860

체색은 흑색 또는 흑갈색으로 광택이 강하고 더듬이와 다리는
적갈색이다. 체형은 가늘고 길며 편평하다. 등면은 회백색 또는 엷은
황회색 털로 덮어 있다. 앞가슴 등판은 약하게 융기되었으며 작은 곰보
모양의 홈들이 조밀하게 덮였고, 가운데에는 희미한 융기선이 있다.

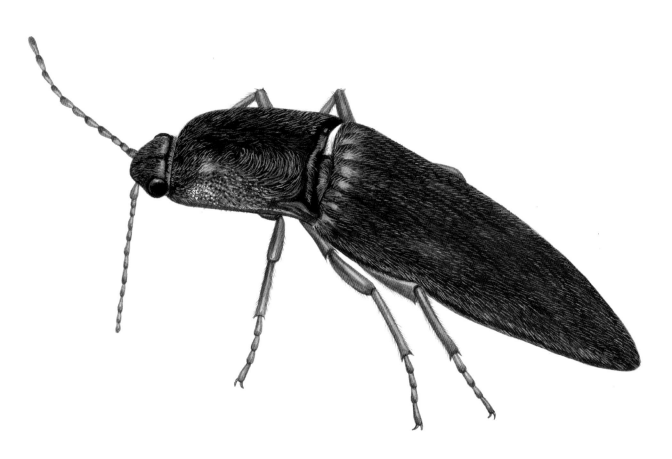

점박이납작밑빠진벌레

Omosita colon (Linnaeus, 1758)

앞가슴등판 테두리는 붉은빛 도는 갈색이며, 딱지날개 뒤쪽에 붉은빛
도는 갈색 무늬가 있다. 무늬는 개체마다 차이가 있다.

무당벌레붙이

Ancylopus pictus asiaticus Strohecker, 1972

앞가슴등판 테두리는 붉은빛 도는 갈색이며, 딱지날개 뒤쪽에 붉은빛
도는 갈색 무늬가 있다. 무늬는 개체마다 차이가 있다.

대륙애기무당벌레

Scymnus (*Pullus*) *ferrugatus* (Moll, 1785)

앞가슴등판은 황색으로, 중앙부에 검은색 삼각형의 큰 무늬가 있다. 머리,
더듬이, 구기 및 다리는 모두 황갈색. 소순판과 딱지날개는 흑색이며,
딱지날개의 말단부는 황색을 띤다. 다양한 진딧물류를 포식한다.

칠성무당벌레

Coccinella septempunctata Linnaeus, 1758

머리는 검은색이지만, 이마 양쪽에 비스듬한 노란빛을 띤 흰색의
무늬가 있다. 딱지날개는 주황색 또는 붉은색으로 양쪽에 총 7개의
검은 점무늬를 가진다. 개체에 따라 무늬 크기의 변이가 있다. 다양한
진딧물류를 포식한다.

무당벌레

Harmonia axyridis (Pallas, 1773)

몸은 반구형이고 겹눈을 제외한 머리의 등면은 노란색에서 검은색까지
매우 다양하며 광택이 난다. 앞가슴등판은 노란색 바탕의 중앙에 4 ~
5개의 검은색 점무늬 또는 M자 모양의 무늬가 있으며, 다른 무당벌레에
비해 변이가 매우 심하다. 다양한 진딧물류를 포식한다.

꼬마남생이무당벌레

Propylea japonica (Thunberg, 1781)

무당벌레아과(Coccinellinae)의 종 중 소형 종이다. 머리는 작고 검정색의 눈을 가진다. 성충의 딱지날개에는 주황색의 십자가 모양이 있으며, 나머지 부분은 검정색을 띠나, 개체에 따른 변이가 있다.

모래섶벌레

Cortinicara gibbosa (Herbst, 1793)

체장 1.5~2 mm 내외이며 체색은 갈색, 더듬이와 다리는 연갈색을 띤다. 딱지날개의 점각열은 명료하며 회백색의 연모로 덮여 있다. 사구성 또는 습지 선호성 곤충이다.

긴뺨모래거저리

Gonocephalum coenosum Kaszab, 1952

몸 전체는 흑색으로, 앞가슴등판은 위로 볼록한 형태이다. 딱지날개의
점각열은 명료하고 약하게 융기되어 있다. 사구성 또는 습지 선호성
곤충이다.

남생이잎벌레

Cassida nebulosa Linnaeus, 1758

체형은 긴 달걀 모양으로, 등쪽은 회백색 또는 황갈색이고 배쪽은
검은색으로 편평하다. 딱지날개에 큰 점으로 이루어진 9줄의 세로줄이
있고, 불규칙한 검은색 얼룩무늬가 세로로 늘어서 있다.

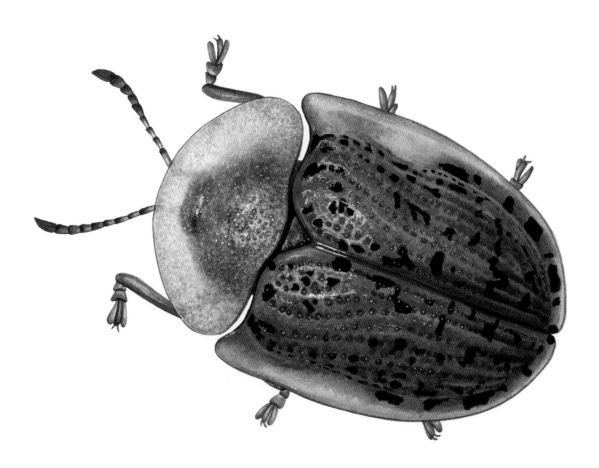

애남생이잎벌레

Cassida piperata Hope, 1842

딱지날개에는 작고 검은 점이 산재되어 있으며, 뒷부분은 완만한 원형을
이룬다. 배는 전체적으로 흑색이며 더듬이와 다리는 황갈색이다. 사탕무,
명아주 등을 섭식하며 많은 개체가 대발생하여 피해를 입히기도 한다.

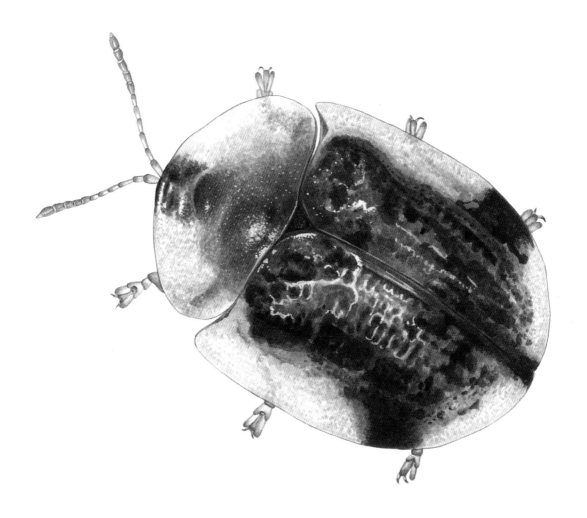

긴발벼룩잎벌레

Longitarsus succineus (Foudras, 1860)

체색은 일반적으로 황갈색이다. 수컷 교미기는 끝부분에서 조금
넓어진다. 더듬이 제 5마디는 4마디보다 다소 길다. 딱지날개의 점각은
약하며, 점각의 직경은 간실 폭의 약 1/4 또는 1/5 정도이다. 주로 쑥을
섭식한다.

검정배줄벼룩잎벌레

Psylliodes punctifrons Baly, 1874

등면은 암녹청색, 체복면은 전체 흑색을 띤다. 더듬이는 적갈색의 기부 2, 3마디를 제외하고 흑색이다. 다리는 흑색의 뒷다리 퇴절을 제외하고 적갈색을 띤다. 두정부에는 명료한 점각이 있다. 유채, 배추 등 대부분의 십자화과 식물을 섭식한다.

팥바구미

Callosobruchus chinensis (Linnaeus, 1758)

몸빛깔은 적갈색이지만, 몸 전체에 연한 노란색 또는 회색의 짧은
털이 나있다. 수컷은 빗살 무늬가 있는 곤봉 모양의 더듬이를 가지며,
암컷은 사슴 뿔과 비슷하게 생긴 톱니 모양의 더듬이가 달려있다.
팥·콩·녹두·완두 등의 씨앗껍질을 유충이 갉아먹고 낱알 속으로
들어가 피해를 준다. 피해를 당한 곡물은 냄새가 나고 싹이 나지 않는다.

알락애바구미

Cosmobaris scolopacea (Germar, 1819)

체장 3~3.7 mm 내외이며, 체표면은 노란색, 흰색, 검은색 3종류의
인편을 가지며 얼룩덜룩하다. 딱지날개의 뒤쪽 부분은 회색 또는
검은색의 불규칙한 무늬를 가진다. 명아주류를 섭식한다.

참소리쟁이애줍쌀바구미

Rhinoncus jakovlevi Faust, 1893

체장 3~3.4 mm 내외이며 몸은 흑색을 띠며, 더듬이와 각 다리의
발목마디는 석갈색이다. 딱지날개의 간실은 미세하게 융기되어 있다.
수영, 소리쟁이류 등을 섭식한다.

뽕나무바구미

Scepticus insularis Roelofs, 1873

연 1회 발생하고 유충으로 월동한다. 뽕나무 외 30여종의 초본 식물에도 기생하는 해충으로 성충은 연한 갈색을 띠며 유충은 어려서는 우유빛이나 종령기가 되면 짙은 담황색을 띤다. 유충은 뽕나무 등의 뿌리를 갉아 먹고 성충은 어린 눈이나 싹을 파 먹는다. 새로 식재한 뽕나무에 많은 피해를 준다.

표주박바구미

Scepticus uniformis Kono, 1930

체장 6~9 mm 내외이며 딱지날개의 간실은 납작하다. 겹눈은 강하게
굽어 있으며, 앞다리 경절은 약하게 팽대되어 있다. 사구성 곤충이다.

토끼풀들바구미

Sitona lineatus (Linnaeus, 1758)

체장 4~5 mm 내외이다. 몸 전체는 인편으로 덮여 있으며, 더듬이 제
8절은 길게 신장되어 있다. 앞가슴복판의 가로 홈은 앞다리 기절에 의해
축소되어 있다.

왕침개미

Brachyponera chinensis (Emery, 1895)

일개미는 몸 전체가 흑색이거나 흑갈색이며 어린 개체는 회백색을 띤다. 배의 제1마디와 제2마디 사이는 잘록하고 배 끝에는 독침이 있다. 썩은 나무속이나 습기가 많은 돌 틈에 집을 지으며, 여왕개미 한 마리를 중심으로 여러 일개미가 함께 군체를 이루고 사는 사회성 곤충이다.

배검은꼬마개미

Monomorium intrudens Smith, 1874

체장 1.5 mm 내외이다. 더듬이 말단 3마디가 현저하게 크며
뒷가슴가시는 없다. 배자루마디는 2마디로 이루어져 있으며, 배자루마디
2는 첫 복부위판 앞부분에 붙어 있다.

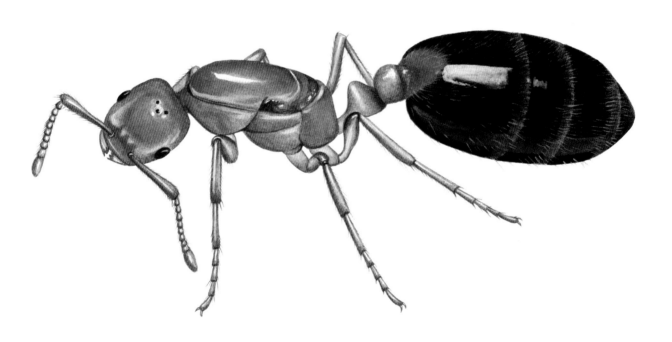

쟈바꽃등에

Allograpta javana (Wiedemann, 1824)

몸은 전반적으로 황색을 띠고 배마디에 흑색의 줄무늬가 있다. 가슴
등판은 흑색을 띠며 황색 털로 덮여 있고, 가슴 옆판은 황색을 띤다.
황색유충시기에는 다양한 진딧물을 포식한다.

호리꽃등에

Episyrphus balteatus (De Geer, 1776)

몸은 전반적으로 황색을 띠고 작고 가는 형태이다. 머리는 비교적 길며 이마는 대단히 좁고 앞으로 심하게 퍼졌고 황회색 가루로 덮였고 겹눈 접합선은 머리 길이의 1/3이다. 더듬이는 주황색 또는 황적색이다. 가슴등판은 길고 구릿빛 흑색이며 광택이 많다. 날개는 검고 다리는 황색이나 뒷다리는 다소 암갈색이다. 유충시기에는 다양한 진딧물을 포식한다.

별넓적꽃등에

Metasyrphus corollae (Fabricius, 1794)

겹눈이 매우 크며, 가슴판은 광택성의 진한 황금색이다. 배마디에는
양쪽으로 노란색 무늬가 있으며, 배의 끝부분으로 갈수록 노란색 무늬가
가까워져서 붙어 있는 것처럼 보인다. 암컷의 경우 노란색 무늬가 더욱
선명하게 보인다. 유충시기에는 다양한 진딧물을 포식한다.

꼬마꽃등에

Sphaerophoria menthastri (Linnaeus, 1758)

몸은 가늘고 흑색이나 수컷에서는 황적색 부분이 많다. 앞이마의 돌기는 뚜렷하지 않으나 황색이고 얼굴도 황색이나 금속성 광택이 있고 가운데 융기는 뚜렷하다. 더듬이는 연한 황색 또는 주황색인데 제3마디는 앞의 두 마디를 합친 것보다 짧고 알 모양이며 자모는 간단하다. 유충시기에는 다양한 진딧물을 포식한다.

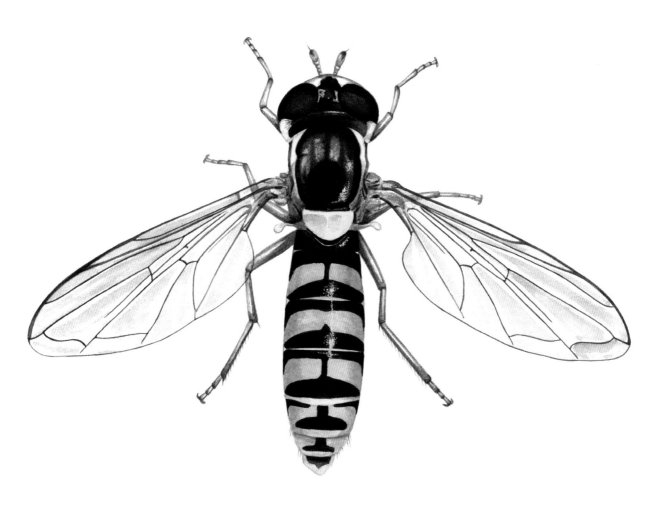

대륙풀과실파리

Ensina sonchi (Linnaeus, 1767)

머리는 3쌍의 회색 이마센털을 가지며, 2쌍의 안센털 중 위쪽 센털은
백색, 아래쪽 센털은 회색을 띤다. 구기는 긴 편이며, 홑눈센털은
앞쪽 안센털보다 긴 편이다. 가슴은 흑색을 띠나 백색가루로 덮여있어
회색으로 보인다. 날개는 투명하며 무늬를 갖지 않는다.

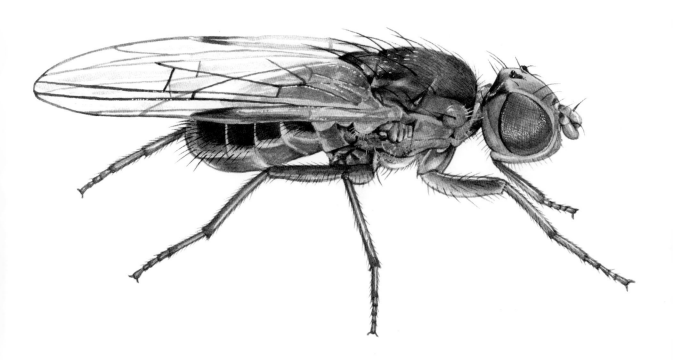

구리금파리

Lucilia sericata (Meigen, 1826)

체장 5~10 mm이다. 이마는 검정색이고, 머리의 앞면과 옆면은 회백색
비늘가루로 덮여 있다. 더듬이는 흑갈색이고, 가슴과 배는 연두색 또는
짙은 녹색을 띤다. 집 주위와 산, 들의 쓰레기나 오물 주위에 다른
파리와 함께 모여 있는 것을 볼 수 있다.

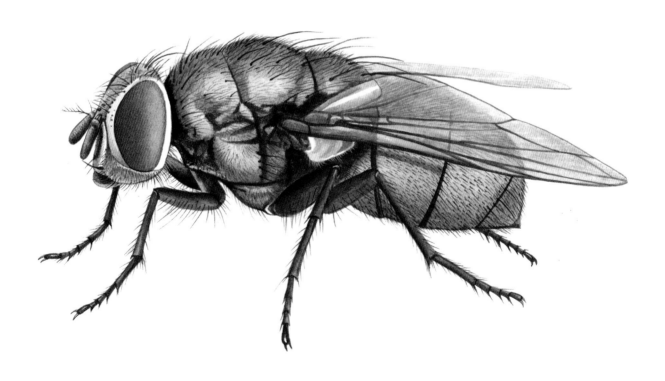

검정볼기쉬파리

Sarcophaga melanura (Meigen, 1826)

가슴의 윗부분은 회색이며 황금색 가루가 덮여 있고 한가운데 센털 줄
부위와 양쪽 등 가운데 센털 줄 부위에 검은색 줄 3개가 아래로 뻗어 있다.
4월에서 10월까지 주로 낮에 활동하고, 집 주위와 산, 들의 쓰레기나 오물
주위에 다른 파리와 함께 모여 있는 것을 볼 수 있다.

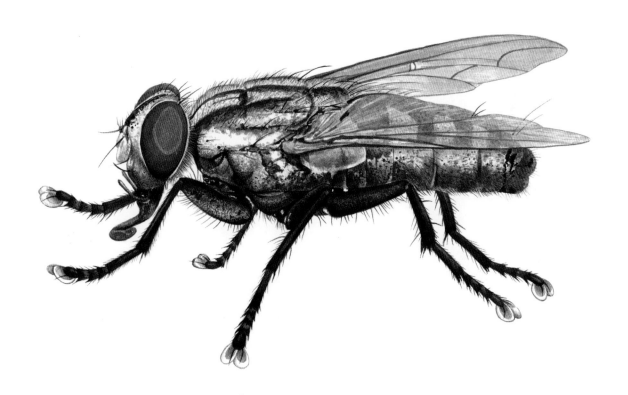

호랑나비

Papilio xuthus Linnaeus, 1767

봄형과 여름형이 있으며 암컷은 수컷에 비해 크기가 크다. 유충은 다 자라면 몸길이가 45 mm에 이르며 몸 빛깔은 녹색이고 셋째마디에 뱀눈 모양의 무늬가 있다. 몸 양 옆에는 검은색의 빗줄이 2개 있다. 탱자나무, 귤나무, 산초나무 등의 잎 뒷면이나 줄기에 1개씩 산란한다.

굴파리좀벌

Diglyphus isaea (Walker, 1838)

체장 2~3 mm 정도의 기생벌로 아시아, 유럽, 북미지역에 널리 분포한다.
잎굴파리 2령 또는 3령 유충에 알을 붙여 두며, 부화한 유충이 기주에
붙어서 체액을 섭취하며 살아가는 외부 기생성 천적이다.
2015년에 새로이 발견된 독도 미기록종이다.

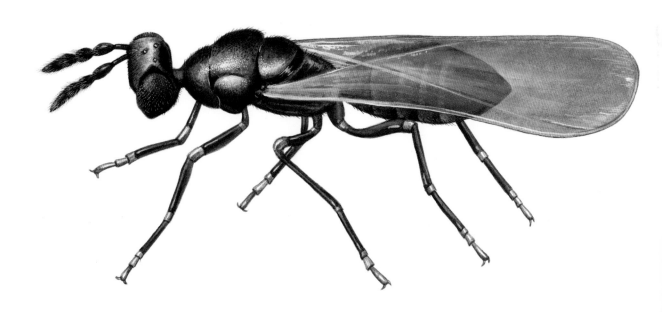

노랑나비

Colias erate (Esper, 1805)

한반도 전역에 분포하며, 개체수가 많다. 연 3~4회 발생하며, 3월부터 11월에 걸쳐 나타난다. 수컷은 대부분 황색을 띠나, 유백색을 띠는 경우가 가끔 있으며, 경기도 섬이나 해안가에 서는 황적색을 띠는 개체도 종종 볼 수 있다. 2015년에 새로이 발견된 독도 미기록종이다.

알락매미충

Psammotettix striatus (Linnaeus, 1758)

등면이 연한 황백색이며 노란색과 황백색의 부분이 있다. 날개는 연한
노란색, 날개맥은 황백색이다. 주로 화본과 식물에 기생하며, 한국의
남부지방에서는 겨울에도 성충이 활동한다. 북반구 전체에 널리
분포한다. 2015년에 새로이 발견된 독도 미기록종이다.

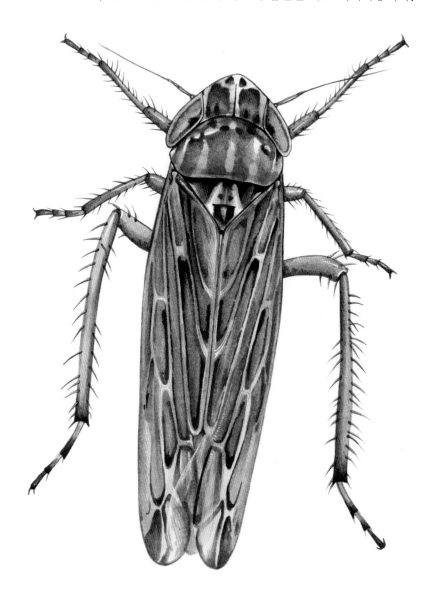

흑다리긴노린재

Paromius exiguus (Distant, 1883)

체색은 일반적으로 연한 황갈색이나, 짙고 옅음의 변화가 심하다. 형태는 가늘고 긴 편이며, 머리와 앞가슴등판이 짧은 털로 덮여 있다. 각 다리의 퇴절만 흑색을 띤다. 과거 간척지를 중심으로 대발생하여 벼에 큰 해를 입히기도 하였다. 2015년에 새로이 발견된 독도 미기록종이다.

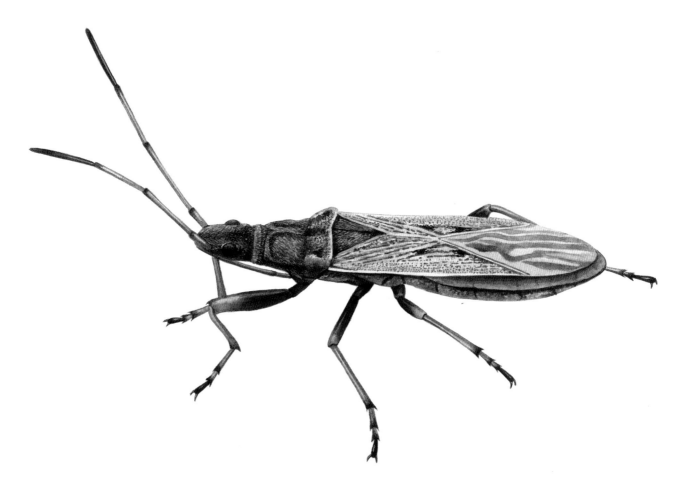

흰등멸구

Sogatella furcifera (Horváth, 1899)

몸은 담황색이며 암컷이 수컷보다 엷다. 정수리는 돌출하여 너비의
1.5배에 달하며, 방패판의 중앙부는 황백색의 긴 육각형으로 양쪽은
흑색을 띤다. 국내에서 월동하지 못해 매년 중국 남부로부터 날아오는
비래해충이다. 2015년에 새로이 발견된 독도 미기록종이다.

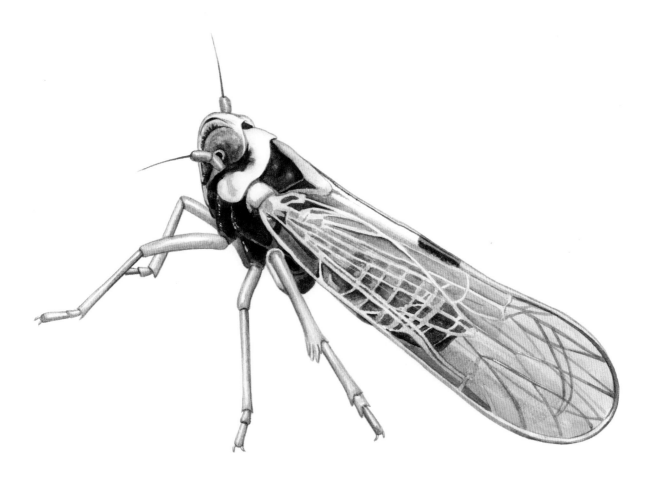

PART 3

독도의
조류

메추라기

Coturnix japonica Temminck & Schlegel, 1849

우리나라에서 흔한 겨울철새로 적은 수가 번식하기도 한다. 체형은 작고 통통하며 목에 명확한 2줄의 띠가 있고 흑갈색 줄무늬가 있다. 독도에서는 1회의 관찰기록만 있는 종이다.

고니

Cygnus columbianus (Ord, 1815)

우리나라에서 큰고니와 섞여 월동하는 겨울철새로 수는 많지 않다.
천연기념물 201-1호로 지정되어 있으며, 국내 월동하는 개체가 100개체
미만으로 부리의 노란색으로 큰고니와 구분된다. 독도에서는 1회만
관찰기록이 있는 흔하지 않는 종이다.

아비

Gavia stellata stellata (Pontoppidan, 1763)

우리나라에 드문 겨울철새로 아비류 중에서 가장 작은 종으로 부리는
흰색을 띠며 가늘고 위로 조금 휘어 있다. 여름깃은 호화로우며, 멱이
붉은 고동색으로 화려하게 치장되고 번식을 위한 번식깃으로 변화된다.
독도에서는 1회의 관찰기록이 있는 매우 드물게 관찰되는 종이다.

검은댕기해오라기

Butorides striata (Linneaeus, 1758)

우리나라에서는 비교적 흔한 여름철새로, 다른 백로처럼 무리를 이루지 않고 단독으로 번식하고 먹이를 찾는다. 암수 같은 색으로 검은색 댕기를 가지고 있으며 가슴에 흰색 줄무늬가 있다. 독도에서는 2회의 관찰기록만 있어 드물게 확인되는 종이다.

황로

Bubulcus ibis (Linnaeus, 1758)

우리나라에서는 흔한 여름철새로 백로류와 같이 집단 번식을 한다.
백로류 중에서 가장 늦게 도래하는 종으로 머리에서 뒷목, 가슴까지
등황색으로 다른 종과 구분된다. 독도에서는 중대백로와 함께 비교적
흔하게 관찰되는 종이다.

민물가마우지

Phalacrocorax carbo (Linnaeus, 1758)

우리나라에 흔한 겨울철새지만, 일부 지역에서 번식이 확인되는 종으로 개체수는 지속적으로 증가하고 있는 추세이다. 기부의 뺨과 만나는 노란색 부분이 둥그스름한 형태로 가마우지와 구분된다. 주로 물가에서 생활하나, 9m 깊이의 물속에서 1분 이상 잠수하며 물고기를 잡기도 한다.

쇠가마우지

Phalacrocorax pelagicus Pallas, 1811

우리나라에서는 서해의 소청도, 백령도와 동해의 울릉도 등
일부지역에서만 집단 번식하는 종으로 겨울철에는 주로 동해안에서
흔하게 볼 수 있다. 독도에서는 3회의 관찰기록만 있는 흔하게
관찰되지 않는 종이다.

황조롱이

Falco tinnunculus Linnaeus, 1758

우리나라 전역에서 흔히 볼 수 있는 텃새이다. 수컷은 윗면이 적갈색, 머리와 꼬리는 청회색이다. 머리 상단, 뒷머리, 뒷목, 옆목은 회색으로 검은색 축반이 약하게 있다. 눈 밑에 검은색 세로줄이 선명하고 배는 크림색, 짙은 밤색의 무늬가 있다.

매

Falco peregrinus Tunstall, 1771

우리나라의 도서지역에 주로 서식하는 텃새이나 현재 일부 지역에서만
드물게 목격된다. 봄, 가을의 이동기에는 전국에서 관찰이 가능하다.
암수가 흡사하며, 머리, 뺨 등은 짙은 회색, 배는 황갈색을 띤 흰색에
검은색 가는 가로줄무늬가 있다. 뺨은 눈 밑에서 이어진 검은 무늬가 있고
암컷은 수컷보다 어두운 색이다.

물수리

Pandion haliaetus (Linnaeus, 1758)

우리나라를 통과하는 드문 나그네새이며, 일부는 월동하기도 한다. 다른 맹금류와 외형에서 뚜렷하게 구분이 되며 암수 색이 같다. 독도에서는 2회의 관찰기록만 있는 흔하지 않은 종이다.

말똥가리

Buteo buteo (Linnaeus, 1758)

중형 맹금류로 겨울철 우리나라 전역에서 쉽게 볼
수 있는 종이나 매년 그 수가 감소하고 있고, 울릉도
같은 도서지역에서는 번식하는 텃새이다. 개체에 따라
변이가 심하며, 홍채는 노란색이며, 부척에 깃털이 없다.
독도에서는 5회의 관찰기록이 있으며, 가을철에 주로
확인된다.

한국뜸부기

Porzana paykullii (Ljungh, 1813)

우리나라에서는 매우 희귀하게 통과하는 나그네새로 극히 적은 수가 번식하기도 하는 여름철새이다. 생태에 대해 알려진 것이 거의 없으며, 배에 폭넓은 흰색 줄무늬와 날개덮깃에 흰색 줄무늬가 흩어져 있는 특징이 있다. 독도에서는 1회의 관찰기록만 있는 종이다.

흑두루미

Grus monacha Temminck, 1835

우리나라에서는 겨울에 월동을 위해 집단으로 도래하거나 또는 이동하는 도중에 기착지로 이용한다. 소형 두루미류로 이마가 검은색이며, 정수리 앞부분에 붉은색 피부가 노출되어 있다. 독도에서는 1회의 관찰기록만 있는 종이다.

검은가슴물떼새

Pluvialis fulva (Gmelin, 1789)

우리나라를 흔하게 통과하는 나그네새로 논이나 갯벌에서 작은 무리를
이룬다. 몸 윗면은 흰색, 황갈색, 검은색의 무늬가 있으며, 번식기의
경우 멱에서 가슴, 배에 걸쳐 검은색을 띤다. 독도에서는 1회의
관찰기록만 있다.

꺅도요

Gallinago gallinago (Linnaeus, 1758)

봄, 가을철에 흔히 우리나라를 지나가며 중부 이남지역에서
일부가 월동한다. 머리 상단에 연한 황색 선이 있고 머리 양편,
눈과 뺨을 지난 선은 모두 흑갈색이다. 뒷목과 옆목, 앞목은
엷은 황갈색으로 흑갈색의 작은 세로무늬가 있다. 몸통 윗면은
다갈색을 띠며 흑갈색 무늬와 황백색의 줄무늬가 있다.

깝작도요

Actitis hypoleucos (Linnaeus, 1758)

우리나라에서는 흔하게 통과하는 나그네새로 일부는 번식이나 월동을
한다. 배의 흰색이 어깨까지 이어지며 날개는 흑갈색의 무늬가 있다.
독도에서는 4회의 관찰기록이 있는 종이다.

꼬까도요

Arenaria interpres (Linnaeus, 1758)

우리나라를 흔하게 통과하는 나그네새로 드물게 월동을 한다. 다리가
짧고 수컷의 머리는 흰색바탕에 검은색 줄무늬가 있으며, 암컷은 갈색이
강하게 나타난다. 독도에서는 1회의 관찰기록만 있는 흔하지 않은
종이다.

괭이갈매기

Larus crassirostris Vieillot, 1818

동해안, 남해안, 서해안 도서에서 흔하게 볼 수 있는 대표적인 텃새이다. 여름철 개체의 경우 머리, 목, 가슴, 배가 순백색이며 등과 날개의 겉면은 청회색, 첫째날개깃, 둘째날개깃의 끝부분은 검은색이다. 꼬리는 흰색이며 검은색의 넓은 가로띠가 있다. 겨울철 개체는 머리와 뒷목에 갈색의 줄무늬가 있고 부리는 황색이며 끝이 붉은색이다.

녹색비둘기

Treron sieboldii (Temminck, 1835)

우리나라에서는 희귀한 나그네새이다. 국내에서는 독도, 울릉도, 제주도, 매물도, 부산 태종대 등지에서 관찰된 기록이 있다. 몸통이 전부 녹색을 띠며, 이마와 얼굴 부분은 황색이 도는 녹색이다. 독도에서는 4회의 관찰기록이 있는 흔하지 않은 종이다.

벙어리뻐꾸기

Cuculus saturatus Blyth, 1843

우리나라에서는 흔한 여름철새이다. 몸 윗면은 진한 회색이고 배에 폭
넓은 검은색 가로 줄무늬가 있다. 눈테는 노란색이며, 홍채는 조금 더
어두운 색이다. 독도에서는 1회의 관찰기록만 있는 흔하지 않은 종이다.

소쩍새

Otus sunia (Hodgson, 1836)

우리나라 전역에서 흔하게 볼 수 있는 여름철새로서
회갈색형과 적색형이 있다. 회갈색형은 이마, 머리
상단, 목이 엷은 회갈색이며, 몸통에는 흑갈색
축반이 있다. 머리에는 귀뿔이 있고 배는 적갈색을
띤다. 적색형의 깃은 몸통이 적갈색이며, 머리
상단과 몸통의 윗면은 흑갈색의 줄무늬가 있다.
독도에서는 4회의 관찰기록이 있는 종이다.

칼새

Apus pacificus (Latham, 1801)

우리나라 전역의 해안가나 고산지역에서 종종 관찰되는 여름철새이다.
작은 집단을 이루고 빠르게 날면서 곤충을 삭아 먹는다. 몸 전체가
검게 보이고 날개는 가느다란 낫모양이다. 허리는 흰색으로 독도에서는
비교적 흔하게 관찰되는 종이다.

청호반새

Halcyon pileata (Boddaert, 1783)

우리나라에서는 매우 흔한 종으로 전역에서 번식을 하는 여름철새이다.
암수 모습이 비슷하며 머리와 날개덮깃은 검은색, 등과 날개깃은
청색이며, 큰 부리는 붉은색을 띤다. 암컷의 몸윗면은 회갈색으로
흑갈색 무늬가 있다. 독도에서는 1회의 관찰기록이 있는 종이다.

물총새

Alcedo atthis (Linnaeus, 1758)

우리나라에서 흔한 여름철새이며, 남부지방에서 월동하는 무리의 경우
텃새화가 되는 경향이 있다. 주로 하천 주변에 서식하며, 물고기,
수서곤충, 갑각류, 양서류를 섭식한다. 독도에서는 드물게 확인되는 종이다.

후투티

Upupa epops Linnaeus, 1758

우리나라에서 흔한 여름철새이자 나그네새로 개방된 환경을 선호한다.
땅강아지를 비롯한 곤충을 주먹이원으로 하고 머리깃을 접었다 폈다를
반복한다. 독도에서는 이동시기에 관찰된다.

칡때까치

Lanius tigrinus Drapiez, 1828

우리나라의 때까치류 중에서 가장 작은 종이다. 머리, 뒷머리, 뒷목은 청회색, 몸통의 윗면은 적갈색에 검은색의 작은 비늘무늬가 있다. 날개와 꼬리는 갈색에 담색 가로무늬가 있다. 앞이마에서 눈을 지나는 굵고 폭 넓은 검은 눈선은 뚜렷하고 강렬하다.

꾀꼬리

Oriolus chinensis Linnaeus, 1766

우리나라에서 흔히 관찰되는 여름철새이며, 봄철 한반도에 도래하여
번식하며 여름을 지낸다. 몸통의 색깔이 황금색이며, 검은색 띠를 이루는
눈선은 눈앞에서 뒷머리까지 폭넓게 형성되어 있다. 주로 산림지대나
공원 등지에서 관찰되며, 곤충류, 거미류, 식물의 열매를 섭식한다.

박새

Parus major Linnaeus, 1758

우리나라 전역에 서식하는 매우 흔한 텃새이다. 다른 박새류에 비해
크기가 크고 배에 검은 줄무늬가 있는 것이 가장 큰 특징이다. 그러나
독도에서는 단 2회의 관찰기록만 있는 종이다.

귀제비

Cecropis daurica (Laxmann, 1769)

우리나라에서는 흔하게 통과하는 나그네새인데, 일부지역에서는 번식을 한다. 제비와 비슷하지만 배에 흑갈색 줄무늬가 있고, 눈 뒤에서 옆 부분까지 적갈색이다. 독도에서는 2회의 관찰기록만 있다.

섬개개비

Locustella pleskei Taczanowski, 1890

우리나라 도서지역에서 드물게 번식하는 여름철새로, 개개비중에서 부리가
길고 몸윗면은 회갈색이 강하며 녹갈색이 적다. 흰 눈썹선이 명확하고
다리는 어두운 살구색 이다. 독도에서는 2회의 관찰기록이 있는 종이다.

한국동박새

Zosterops erythropleurus Swinhoe, 1863

우리나라에서는 드물게 통과하는 나그네새로 동박새보다 약간 작다.
동박새와 비슷하지만 옆구리에 명확한 밤색 무늬가 있다. 독도에서는
3회의 관찰기록이 있는 종이다.

상모솔새

Regulus regulus japonensis Blakiston, 1862

우리나라에 흔하게 월동하는 겨울철새로 매우 작은 종이다. 몸윗면에
엷은 노란색과 머리중앙선의 노란색과 오렌지색이 특징이다. 독도에서는
비교적 흔하게 관찰되는 종이다.

굴뚝새

Troglodytes troglodytes (Linnaeus, 1758)

우리나라에서 흔한 텃새로, 다른 종과의 혼동은 없다. 전체적으로 갈색이며, 검은 무늬가 규칙적으로 흩어져 있으며 꼬리가 짧다. 가늘고 긴 눈썹선이 있으며, 독도에서는 5회의 관찰기록이 있다.

동고비

Sitta europaea (Linnaeus, 1758)

우리나라에서는 비교적 흔한 텃새로 특히 사찰 인근에서 많이 관찰된다. 나무줄기를 기이 오르내리며 먹이를 찾는 습성이 있고, 몸 윗면은 균일한 청회색이다. 검은색 눈 선이 명확하고, 멱은 흰색, 가슴과 배는 주황색이다. 독도에서는 단 1회의 사체를 통한 관찰기록만 있는 종이다.

호랑지빠귀

Zoothera aurea (Holandre, 1825)

우리나라 전역에서 흔하게 번식하는 여름철새이다. 지빠귀류 중에 대형
종으로 몸 윗면은 갈색을 띠며 초승달 모양의 검은 무늬가 몸 전체에
흩어져 있다. 독도에서는 비교적 흔하게 관찰되는 종이다.

개똥지빠귀

Turdus eunomus Temminck, 1831

우리나라 전역에서 관찰되는 흔한 겨울철새이다. 개체변이가 매우
심한 종으로 얼굴과 몸아랫면은 어두운 색이다. 흰 눈썹선이 뚜렷하며
꼬리깃은 흑갈색이다. 독도에서는 매우 흔하게 관찰되는 종이다.

붉은가슴울새

Luscinia akahige (Temminck, 1835)

우리나라 남부에서는 봄, 가을철 소수의 무리가 지나가는
나그네새이다. 주로 경남지역 산지에서 자주 목격되고 있다.
암컷과 수컷은 흡사하나 암컷의 색깔이 연하다.

딱새

Phoenicurus auroreus (Pallas, 1776)

우리나라에서 흔하게 발견되는 텃새이다. 수컷의 이마, 머리 상단, 뒷목이
회백색이며, 얼굴과 먹은 흑색이다. 등과 날개는 흑갈색, 날개에는 흰색
반점이 뚜렷하며, 가슴, 배, 허리는 적갈색이다. 주로 인가 부근에서
발견되며, 곤충류, 식물의 열매를 먹이로 이용한다.

검은딱새

Saxicola torquatus (Linnaeus, 1766)

우리나라에서는 흔한 종으로 전역에서 번식을 하는 여름철새이다.
수컷은 머리, 등, 꼬리가 검은색이고 어깨와 허리에 흰무늬가 크게 보인다.
암컷의 몸윗면은 회갈색으로 흑갈색 무늬가 있다. 독도에서는 4회의
관찰기록이 있는 종이다.

제비딱새

Muscicapa griseisticta (Swinhoe, 1861)

봄, 가을철 우리나라 전역에 걸쳐 드물지 않게 지나가는 나그네새로
알려져 있다. 이마, 얼굴, 머리 상단, 등, 꼬리는 짙은 회갈색이고
꼬리는 암갈색, 날개는 흑갈색을 띠며 흰색 줄이 있다. 목, 가슴,
옆구리에 회갈색의 줄무늬가 있다. 산림지대나 공원에 서식하고
곤충류를 섭식한다.

멧종다리

Prunella montanella (Pallas, 1776)

멧종다리는 겨울철새이며 이마, 머리 상단, 뒷목, 눈을 지나는 눈선은
짙은 흑갈색이다. 눈썹선은 황갈색으로 턱밑과 가슴은 짙은 황갈색,
배 부분은 연한 황갈색, 옆구리는 진한 갈색의 세로무늬가 있다. 등,
날개덮깃, 날개는 진한 회갈색이며 검은색의 얼룩무늬가 있다.

검은턱할미새

Motacilla alba ocularis Swinhoe, 1860

알락할미새의 아종으로 봄과 가을에 규칙적으로 통과하며, 소수가
월동하는 겨울철새이다. 검은색 눈썹선이 있는 것은 백할미새와 비슷한데
허리는 회색으로 차이가 난다. 독도에서는 2회의 관찰기록만 있다.

되새

Fringilla montifringilla Linnaeus, 1758

우리나라에서 흔히 볼 수 있는 겨울철새이다. 날 때 폭넓은 흰색이 보이고 수컷은 머리에서 등까지 검은색이다. 수컷의 겨울깃은 머리, 얼굴이 흐린 검은색으로 변한다. 독도에서는 흔하게 관찰되는 종이다.

솔양진이

Pinicola enucleator (Linnaeus, 1758)

우리나라에서는 독도에서 2013년 최초로 관찰된 종이다. 지빠귀류의
크기로 체형이 통통하다. 수컷은 붉은색을 띄는 반면, 암컷은 회색에
머리와 등의 끝부분이 노란색을 띤다. 검은색 부리는 크고 둥글고 날개깃
끝부분에 흰색이 나타난다. 독도에서 1회의 관찰이 남한 최초의 관찰이다.

솔잣새

Loxia curvirostra Linnaeus, 1758

우리나라에서는 불규칙하게 도래하는 겨울철새이다. 솔방울의 씨앗이나
잣의 열매를 꺼내 먹는 특이한 구조의 부리를 갖고 있는 산림성 조류이다.
수컷은 붉은색, 암컷은 녹색을 띤다. 독도에서는 2회의 관찰기록만 있다.

긴꼬리홍양진이

Uragus sibiricus (Pallas, 1773)

우리나라에서 흔하게 관찰되는 겨울철새이다. 여름깃은 전체적으로
붉은색이 강하게 나타나고 양진이와 비슷하지만 체형이 마르고 길다.
부리는 매우 짧고 두툼하고 윗부리는 아래로 굽었다. 독도에서는 4회의
관찰기록이 있는 종이다.

멋쟁이

Pyrrhula pyrrhula (Linnaeus, 1758)

1980년대에는 흔히 관찰되었으나, 현재는 우리나라에 드물게 찾아오는
겨울철새이다. 체형이 통통하며 머리, 눈앞, 턱밑은 광택 있는
검은색이다. 부리는 검은색으로 짧고 두툼하며, 독도에서는 5회의
관찰기록이 있다.

콩새

Coccothraustes coccothraustes (Linnaeus, 1758)

우리나라에서 흔히 관찰되는 겨울철새이다. 수컷의 겨울깃은 이마,
머리 상단, 뒷머리가 엷은 담황색이고, 등과 어깨깃은 짙은 갈색,
위꼬리덮깃은 갈색이 도는 담황색이다. 암컷은 수컷에 비해 색이
엷고, 부리는 투박하며, 여름에는 회색, 겨울에는 담황색을 띤다. 주로
농경지 주변에서 작은 무리를 이루며 생활하고, 식물의 열매나 씨앗을,
작은 곤충류를 섭식한다.

긴발톱멧새

Calcarius lapponicus (Linnaeus, 1758)

우리나라에서는 겨울철새로 체형이 통통하며 첫째날개깃이 길게 돌출되어 있다. 꼬리는 짧고 뒷발톱이 길다. 독도에서는 단 1회의 관찰기록만 있는 종이다.

떼까마귀

Corvus frugilegus Linnaeus, 1758

겨울철새로서 암수의 생김새가 흡사하다. 까마귀보다 약간 작고 검은색의 부리가 가늘고 뾰족하며, 부리 기부가 희뿌옇게 보이는 것이 특징이다. 주로 농경지에서 설치류, 새의 알이나 어린 새, 어류, 곤충류, 곡류, 과일 등을 섭식한다. 겨울철에는 주로 큰 무리를 이루어 생활한다.

INDEX(국명)

INDEX(학명)